Jij bent erbij!

Anneke Scholtens
met tekeningen van Milja Praagman

Zwijsen

Krul

De Krul

roos

Pon

trui

Pon gaat op zoek

Pon is in de stad.
Ze is met mam.
Mam koopt een jurk.
En een broek met een trui.
Pon wil ook iets.
Niet voor haar zelf.
Maar voor Saar.
Saar heeft een feest.
Want Saar is nu acht jaar!
Pon weet al iets leuks.
Ze wil een band.
Een band voor in Saars haar.
En een lint met een roos.
Ze zag het bij De Krul.
De Krul heeft veel voor je haar.
Zoek je een kam of een lint?
Een koord of een band?
Dan moet je bij De Krul zijn.
Maar mam is nog niet klaar.
Ze zoekt en zoekt.
'Ik wil hier weg,' zegt Pon.
'Ik wil naar De Krul.
Daar zag ik een band.
Voor in Saars haar.
En een lint met een roos.'

3

'Ja, ja,' zegt mam.
Maar ze kijkt niet op.
Hoort ze wel wat Pon zegt?
Ze past een schoen.
En ze kijkt en kijkt.
Pon heeft geen zin meer.
Ze wil hier weg.
De Krul is vlakbij.
Ze kan er zelf wel heen.
Ze kent de weg heel goed.
'Mam, mag ik vast gaan?
Dan blijf ik bij De Krul.
Tot jij komt.
Ik loop niet weg.'
Mam kijkt naar Pon.
'Dat is goed,' zegt ze.
'Kijk jij daar maar vast.
Maar loop niet weg!
Blijf daar tot ik kom.'
'Dat is goed!' zegt Pon.

De Krul

5

fles

bloem

bak

zeep

rek

lint

roos

6

Pon is bij De Krul.
Ze loopt naar een rek.
Er ligt heel veel.
Wat is het mooi!
Maar ook wel duur!
Pon pakt een stuk zeep.
Ze ruikt er aan.
Mmmm, dat is ook fijn.
Of die fles daar.
Die ruikt naar een bloem.
Maar Pon zoekt geen fles.
Ze zoekt een band voor Saars haar.
En een lint met een roos.
Het lag in een bak.
Maar waar is die bak nou?

De Krul

tring

lip

bijt

geld

hond

baard

Jij bent erbij!

Pon kijkt goed rond.
Dan ziet ze het.
De bak staat in een hoek.
Er zit nog heel veel in.
Pon ziet een koord.
Ze ziet een sjaal met een punt.
Zou de band er nog zijn?
En het lint met de roos?
Pon zoekt in de bak.
Ze kijkt en kijkt.
Dan ziet ze de band!
En daar is ook het lint!
Wat zal Saar blij zijn!
Pon loopt naar de deur.
Is mam er al?
Pon ziet een vrouw met een kind.
En een vrouw met een hond.
En een man met een baard.
Maar mam is er nog niet.
Waar is ze nou?
Pon staat nog bij de deur.
Ze tikt met haar voet.
Ze bijt op haar lip.
Wat duurt dat lang!
'Mam, kom nou!' zegt ze.

Maar dat hoort mam niet.
Pon doet een stap naar de deur.
Ze kijkt op de stoep.
Ze doet nog een stap.
Ziet ze mam al?
Tring, tring!!!!
Wat is dat?
Er gaat een bel.
Er komt een vrouw aan.
Die vrouw is van De Krul.
Ze kijkt heel boos.
'Je bent erbij!' zegt ze.
'Ik zag jou wel!'
Pons hart slaat heel hard.
Ze is heel bang.
Wat deed ze fout?
'Jij pikt die band,' zegt de vrouw.
'Ik zag het wel.
En ook dat lint met de roos.
Je liep weg.
En je gaf geen geld!'
'Ik liep niet weg,' zegt Pon.
'Mam komt er aan.
Zij heeft het geld.'
'Ja, ja,' zegt de vrouw.
'Dat zal wel.
Kom jij maar eens mee.'

10

Pon is geen dief

De vrouw pakt Pon bij haar arm.
Ze gaan naar een klein hok.
Er staat een stoel.
En er staat ook een kruk.
Pon moet op de kruk.
En de vrouw neemt de stoel.
'Hoe heet je?'
'Pon,' zegt Pon.
'Maar ik deed niks!'
'Waar woon je?'
Dat weet Pon best.
Maar ze is heel bang.
En dan weet je soms niks meer.
Pon huilt.
'Ik weet het niet,' zegt ze.
'Wees maar blij,' zegt de vrouw.
'Soms bel ik op.'
'Naar wie?' zegt Pon.
'Wat denk je?' zegt de vrouw.
'Wat doen we met een dief?'
'Ik ben geen dief!' zegt Pon.
En dan hoort ze een stem.
'Pon, Pon!'
'Daar is mam!' zegt Pon.
De vrouw kijkt op.

Ze gaat uit het hok.
'Ik zoek mijn kind,' zegt mam.
'Ze heet Pon.
Ze wil een band.
Een band voor in het haar.
En een lint met een roos.'
De vrouw komt weer in het hok.
Haar hoofd is rood.
'Je mam is er,' zegt ze.
Pon staat vlug op.
Ze rent naar mam.
Dan huilt ze.
'Wat is er?' vraagt mam.
'Die vrouw nam me mee,' huilt Pon.
'Ze zei dat ik een dief was.'
'Jij, een dief?' vraagt mam.
'Het komt vaak voor,' zegt de vrouw.
'Dan gaat een kind weg.
Met een kam of een band.
En ik krijg geen geld.'
'Maar Pon is geen dief!' zegt mam.
'Pon wist dat ik kwam.
En ik heb hier het geld.
Kijk maar.'
Ze legt het neer voor de vrouw.
'Goed,' zegt de vrouw.
Maar mam zegt niks.

14

feest

paars pak

Saar

groen
pak

16

Is de vrouw een oen?

Pon gaat naar het feest van Saar.
Ze heeft een klein paars pak.
Daar zit de band in.
En ze heeft een klein groen pak.
Daar zit het lint in.
Pon zit bij mam op de fiets.
Ze heeft veel zin in het feest.

Saar staat al bij de deur.
'Hee Pon!' roept ze.
Pon geeft mam een kus.
'Dag!' zegt ze.
Dan rent Pon naar Saar.
'Kijk!' roept ze.
En ze geeft een klein paars pak.
Saar pakt het uit.
'Wat mooi!' zegt ze.
Ze doet de band in haar haar.
Dan geeft Pon een klein groen pak.
Saar lacht blij.
'Een lint met een roos!
Waar vond je dat?'
'Bij De Krul!' zegt Pon.
'Mam was heel laat.
Ik ging naar haar op zoek.

Ik deed een stap op de stoep.
Toen ging er een bel.
Heel hard!
En een vrouw zei dat ik een dief was.'
'Jij een dief?' zegt Saar.
'Wat een oen is die vrouw!'

Er is een week om.
Dan komt Pon weer bij De Krul.
Ze is met mam.
Mam wil een stuk zeep.
Pon ziet de vrouw van De Krul.
Ze wil weg.
Maar de vrouw kijkt niet meer boos.
'Ik heb iets voor jou,' zegt ze.
Ze laat het zien.
Het is een band voor in Pons haar.
Hij lijkt op die van Saar.
'Het spijt me,' zegt de vrouw.
'Ik zag het fout.
Je was geen dief.
Ik geef je dit.'
'Is dat voor mij?' zegt Pon.
'Het is voor jou,' zegt de vrouw.
'Maar ik heb geen geld,' zegt Pon.
'Dat hoeft niet,' zegt de vrouw.
'Ik geef hem aan jou.

Is het nu weer goed?'
Pon kijkt blij.
Ze doet de band in haar haar.
Het is weer goed.
Want de vrouw weet het nu ook.
Pon is geen dief.
En de vrouw zelf?
Is de vrouw een oen?
Of niet?

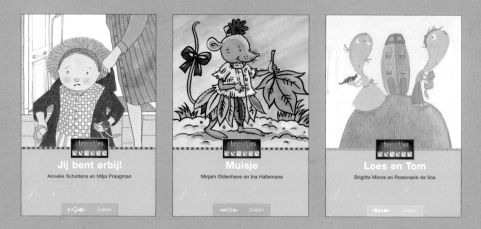

sterretjes bij kern 9 van Veilig leren lezen

na 25 weken leesonderwijs

1. Jij bent erbij!
Anneke Scholtens en Milja Praagman

2. Muisje
Mirjam Oldenhave en Ina Hallemans

3. Loes en Tom
Brigitte Minne en Rosemarie de Vos